Ένας τάρανδος στο σπίτι μου

Σε όσους πιστεύουν στη μαγεία των γιορτών.
Στην οικογένειά μου, στα βαφτιστήρια μου, στους φίλους μου
και ιδιαίτερα στον Λέιν, που ξέρει να ακούει.
Αλλά και στην Κουίνι, στη Λόλα, στον Μπομπ, στον Άλεξ,
στη Λούσι και στον Ρούμπιν.
Μ.Κ.Μ.

Στον μπαμπά, για όλες τις μαγικές βόλτες
που κάναμε στο δάσος όταν ήμουν μικρή,
και στη μαμά, που είχε πάντα έτοιμη ζεστή σοκολάτα
όταν γυρνούσαμε σπίτι.
Στα παιδιά μου, τον Ντάστιν, την Κέλι και την Ντέιντρε.
Στον Μπομπ, στον Μαρκ, στην αδερφή μου,
αλλά και στα εγγόνια μου, τη Λόγκαν, τη Λι και τον Τόμας.
Κ.Χ.Γκ.

Πρώτη έκδοση Αύγουστος 2009
Τίτλος πρωτοτύπου *Reindeer Christmas*

ISBN 978-960-455-573-4   ΒΟΗΘ. ΚΩΔ. ΜΗΧ/ΣΗΣ 4573   Κ.Ε.Π. 1654 Κ.ΕΞ. 103/09

Απόδοση Ρένα Ρώσση-Ζαΐρη
Διόρθωση Φωτεινή Ξιφαρά
Προσαρμογή εξωφύλλου Γιώτα Μπόμπου

© 2008, Εκδόσεις **ΜΕΤΑΙΧΜΙΟ** (για την ελληνική γλώσσα)
© 2008, Mark Kimball Moulton (για το κείμενο)
© 2008, Karen Hillard Good (για την εικονογράφηση)

Κατόπιν συμφωνίας με τη Simon & Schuster Books for Young Readers,
an imprint of Simon & Schuster Children's Publishing Division,
1230 Avenue of the Americas, New York, NY 10020

Εκδόσεις **ΜΕΤΑΙΧΜΙΟ**
Ιπποκράτους 118, 114 72 Αθήνα
τηλ.: 211 3003500, fax: 211 3003562
http://www.metaixmio.gr
e-mail: metaixmio@metaixmio.gr

ISO 9001
QMSCERT No 04/1230/279
QMSCERT No 04/1230/279.1

Ένας τάρανδος στο σπίτι μου

κείμενο
Μαρκ Κίμπολ Μούλτον

εικονογράφηση
Κάρεν Χίλαρντ Γκουντ

ΜΕΤΑΙΧΜΙΟ

Οι νιφάδες του χιονιού σχημάτιζαν ένα λεπτό στρώμα πάνω στα δέντρα,
σκέπαζαν το δάσος με μια κρυστάλλινη, λαμπερή κουβέρτα,
κρεμόντουσαν από τη στέγη του σπιτιού μας, μας έκαναν
να χοροπηδάμε από χαρά.

Εγώ και η αδερφή μου, παρέα με τη γιαγιά,
τρέχαμε στο ξέφωτο κι αδειάζαμε τα καλάθια μας.

Αφήναμε στο χιόνι καρότα και σπόρους καλαμποκιού,
μήλα και αχλάδια, για τα ζώα που είχαν κουλουριαστεί
στη φωλιά τους από το κρύο, για τα ζώα που πεινούσαν
και δεν μπορούσαν να βρουν φαγητό.

Κι έτρεχαν δίπλα μας τα ελάφια κι άρπαζαν τα φρούτα,
τα πουλιά και τσιμπούσαν τους σπόρους,
τα ποντικάκια και τσιμπολογούσαν το καλαμπόκι,
τα λαγουδάκια κι έτρωγαν τα λαχανικά.

Εκείνη την παραμονή της Πρωτοχρονιάς χιόνισε κι άλλο.
Κολλήσαμε τα μούτρα μας στο τζάμι και κοιτούσαμε έξω,
όταν ξαφνικά είδαμε ένα ζώο, έναν τάρανδο.

Πρέπει να ήταν πληγωμένος, γιατί κούτσαινε.
Γονάτισε στο χιόνι κι έκλεισε τα μάτια του.

Έμοιαζε παγωμένος, κουρασμένος και πεινασμένος.
Ανατρίχιασε στο κρύο του χιονιά.

– Ελάτε γρήγορα! μας φώναξε η γιαγιά.
Πρέπει να τον κουβαλήσουμε μέσα.
Πρέπει να τον ζεστάνουμε!

Τρέξαμε έξω κοντά του.
Αρχίσαμε να τον χαϊδεύουμε.
Ανασηκώθηκε κι άνοιξε το ένα μάτι του.
Ύστερα, με τη βοήθεια της γιαγιάς,
κουβαλήσαμε τον τάρανδο στο σπίτι μας.

Τον βάλαμε να ξαπλώσει
σε μια κουβέρτα δίπλα στο τζάκι,
στη ζεστασιά.
Έγειρε και αποκοιμήθηκε.

— Θα γίνει καλά ο τάρανδός μας;
ρωτήσαμε ανήσυχοι τη γιαγιά.

— Με φαγητό, ζεστασιά και ξεκούραση,
θα γίνει περδίκι! μας χαμογέλασε εκείνη
κι ακούμπησε δίπλα του μια πιατέλα
γεμάτη φρούτα.
Ο τάρανδος άνοιξε τα μάτια του,
μύρισε τα φρούτα, έφαγε ένα
και μετά άρχισε να ροχαλίζει.

Ξάπλωσα στο κρεβάτι μου να κοιμηθώ.
Ξαφνικά, κάτι με ξύπνησε.
Το δωμάτιό μου λουζόταν στο φως!

Κοίταξα έξω από το παράθυρο.
Δεν μπορούσα να πιστέψω στα μάτια μου.
Ψηλά στον ουρανό πετούσε
ο δικός μας ο τάρανδος!

Έτρεξα στις μύτες των ποδιών μου μέχρι το τζάκι,
για να δω αν ήταν εκεί. Αλλά δεν ήταν.
Μετά, έψαξα όλο το σπίτι. Αλλά δεν τον βρήκα πουθενά.

Ο τάρανδός μας είχε εξαφανιστεί!

Χρόνια Πολλά

Το επόμενο πρωί
πετάχτηκα αμέσως από το κρεβάτι μου.
Ήταν Πρωτοχρονιά.

Είχαμε πάρα πολλά να κάνουμε!
Έπρεπε να ανοίξουμε τα δώρα
του Αϊ-Βασίλη και να φάμε τα γλυκά
που μας είχε φτιάξει η γιαγιά!
Φώναξα την αδερφή μου
και κατεβήκαμε τρέχοντας κάτω.

Για τη
γιαγιά

Ο Αϊ-Βασίλης δε μας είχε ξεχάσει.
Μας έφερε όλα τα δώρα που του ζητήσαμε,
μπότες του σκι και μπάλες και κούκλες και καραβάκια...

Ανοίξαμε τα δώρα μας και μετά καθίσαμε
να φάμε το γιορταστικό πρωινό
του καινούριου χρόνου.

Νομίζαμε πως είχαμε ανοίξει όλα μας
τα δώρα. Αλλά η γιαγιά έσκυψε
κάτω από το χριστουγεννιάτικο δέντρο
και μας έδωσε ένα μικρό ξύλινο κουτί
και μια χριστουγεννιάτικη κάρτα.

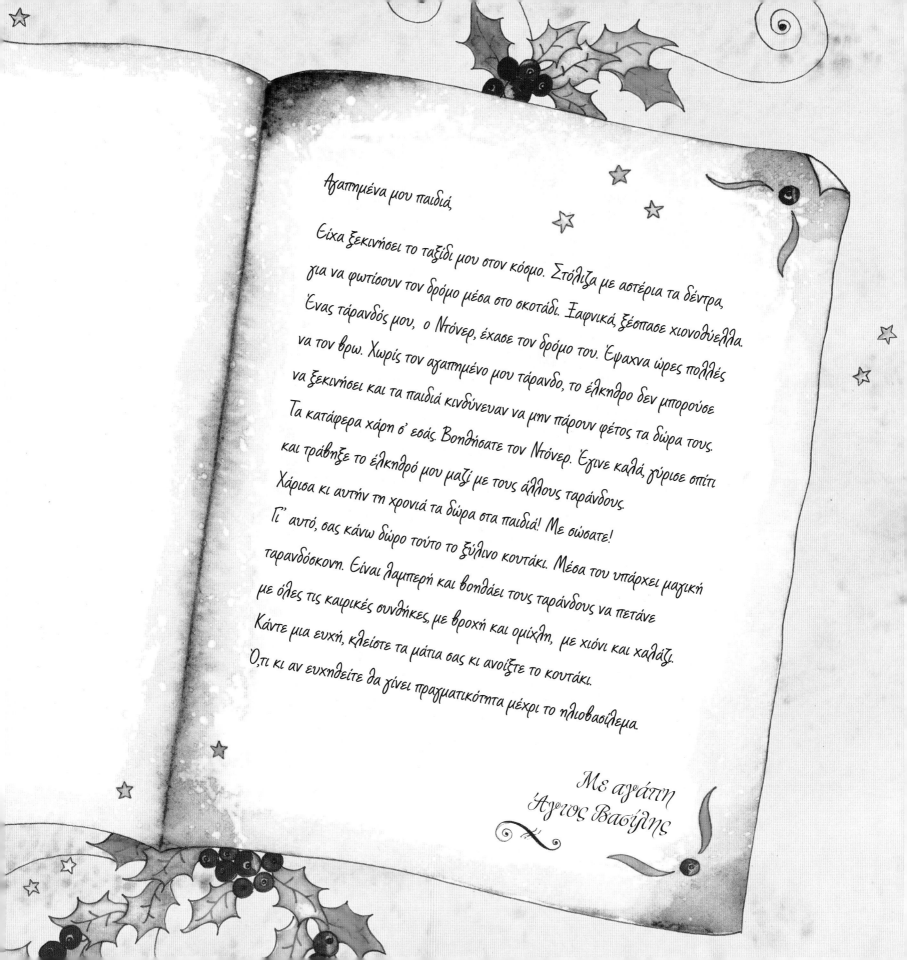

Αγαπημένα μου παιδιά,

Είχα ξεκινήσει το ταξίδι μου στον κόσμο. Στόλιζα με αστέρια τα δέντρα, για να φωτίσουν τον δρόμο μέσα στο σκοτάδι. Ξαφνικά, ξέσπασε χιονοθύελλα. Ένας τάρανδός μου, ο Ντόνερ, έχασε τον δρόμο του. Έψαχνα ώρες πολλές να τον βρω. Χωρίς τον αγαπημένο μου τάρανδο, το έλκηθρο δεν μπορούσε να ξεκινήσει και τα παιδιά κινδύνευαν να μην πάρουν φέτος τα δώρα τους. Τα κατάφερα χάρη σ' εσάς. Βοηθήσατε τον Ντόνερ. Έγινε καλά, γύρισε σπίτι και τράβηξε το έλκηθρό μου μαζί με τους άλλους τάρανδους. Χάρισα κι αυτήν τη χρονιά τα δώρα στα παιδιά! Με σώσατε!

Γι' αυτό, σας κάνω δώρο τούτο το ξύλινο κουτάκι. Μέσα του υπάρχει μαγική ταρανδόσκονη. Είναι λαμπερή και βοηθάει τους τάρανδους να πετάνε με όλες τις καιρικές συνθήκες, με βροχή και ομίχλη, με χιόνι και χαλάζι. Κάντε μια ευχή, κλείστε τα μάτια σας κι ανοίξτε το κουτάκι. Ό,τι κι αν ευχηθείτε θα γίνει πραγματικότητα μέχρι το ηλιοβασίλεμα.

Με αγάπη
Άγιος Βασίλης

Τα ζώα του δάσους είναι φίλοι μας
και μας επισκέπτονται κάθε χειμώνα.
Κι εμείς τα προσέχουμε
και τα ταΐζουμε συνέχεια.

Το ξύλινο κουτάκι που μας χάρισε
ο Αϊ-Βασίλης το φύλαξα εγώ.
Τόσα χρόνια δεν το έχω ανοίξει.
Η μαγεία που κρύβει μέσα του είναι σπάνια.

Ήθελα να το ανοίξω μόλις ανακάλυπτα
την τέλεια ευχή, την πιο τέλεια του κόσμου.
Μέχρι που τη βρήκα...

Έτσι λοιπόν τώρα θα κλείσω τα μάτια μου,
θα ανοίξω το κουτάκι και θα ευχηθώ...

Εύχομαι
ειρήνη
και ευτυχία
και χαρά
και αγάπη
για όλη
τη χρονιά.

Τέλος